Astrid Lindgren

Lustiges Bullerbü

Bilder von
Ilon Wikland

Verlag Friedrich Oetinger · Hamburg

Ich heiße Lisa, und das Dorf, in dem ich wohne, heißt Bullerbü. Es gibt in unserem Dorf nur drei Höfe und nur sechs Kinder. Im Nordhof wohnen Britta und Inga, im Mittelhof wohnen Lasse, Bosse und ich, und im Südhof wohnt Ole. Und natürlich Kerstin, das ist Oles kleine Schwester. Wie konnte ich sie nur vergessen! Ole findet, dass Kerstin das merkwürdigste Kind von ganz Bullerbü ist. Und es ist recht anstrengend, auf sie aufzupassen, sagt Ole, aber Britta, Inga und ich helfen ihm manchmal dabei. „Eine ganze Schulklasse könnte man brauchen, um auf dieses Kind aufzupassen", sagt Inga.

Wenn der Frühling kommt, ist es besonders schön hier in Bullerbü. In den Gärten blühen Schneeglöckchen, Krokus, Osterglocken und Tulpen, und am Waldrand blühen tausend Millionen Anemonen und Leberblümchen.

Kerstin pflückt gern Blumen. Aber ihre Mama hat gesagt, dass sie nur wilde Blumen pflücken darf und nicht die Tulpen, die auf den Beeten wachsen. Eines Tages sah ich Kerstin, wie sie fast alle Osterglocken abriss, und ich rief ihr zu:

„Lass das sein! Du weißt doch, dass du sie nicht pflücken darfst!“

„Doch darf ich, sie sind ja wild“, sagte Kerstin. „Sie sind danz wild.“

„Danz“ sagt Kerstin und meint „ganz“.

Britta, Inga und ich nahmen Kerstin mit, setzten sie in ihren kleinen Wagen und zogen mit ihr in den Wald. Dort konnte Kerstin so viele Anemonen und Leberblümchen pflücken, wie sie nur wollte. Sie pflückte einige Blumen, aber dann schüttelte sie den Kopf und sagte:
„Die hier sind nicht danz so wild wie die anderen.“

Draußen am Waldrand haben Britta, Inga und ich uns eine Spielwohnung eingerichtet. Das machen wir immer, wenn der Frühling kommt. Als Tisch haben wir eine Kiste, zum Sitzen haben wir Hocker, eine andere Kiste ist unser Schrank und in dem Schrank steht mein Puppenservice.

Wir hatten Kerstin in unsere Wohnung mitgenommen und es gab Saft und Wecken, die wir von Mama bekommen hatten. Das schmeckte uns gut.

Gerade als wir dort saßen und Saft tranken, sahen wir im Gras einen Igel. Kerstin wollte ihn streicheln.

„Nein", sagte Britta, „der sticht."

Aber Kerstin streichelte ihn trotzdem. Und dann schrie sie und war uns böse. Als ob wir etwas dafür konnten, dass der Igel Stacheln hatte.

Im Bach, der durch die Wiese fließt, ließen Lasse, Bosse und Ole Borkenboote schwimmen. Wir gingen mit Kerstin dorthin, weil sie die Borkenboote sehen und mit Weinen aufhören sollte. Aber es dauerte gar nicht lange, da setzte sie sich mitten in den Bach. Und dann schrie sie so laut, dass es ihre Mama zu Hause hören konnte.

„Kleine Kinder sollte man einsperren, wenn der Frühling kommt", sagte Lasse. „Sobald sie nur Wasser sehen, setzen sie sich hinein." Gerade als er das gesagt hatte, rutschte er auf einem Stein aus und fiel selber in den Bach. Da lachten wir alle und Ole sagte:

„Ja, ja, kleine Kinder sollte man einsperren, wenn der Frühling kommt. Sobald sie nur Wasser sehen, setzen sie sich hinein." Dann nahm Ole Kerstin auf den Rücken und ging mit ihr nach Hause. Kerstin schrie die ganze Zeit, sodass man es überall in Bullerbü hören konnte.

Im Frühling ist es auf allen Wegen nass. Wenn wir von der Schule nach Hause gehen, ist der Weg manchmal voller Pfützen. Das Wasser spritzt um die Gummistiefel und es macht uns Spaß, durch die größten Pfützen zu plantschen, die wir finden können. Manchmal steigen die Jungen auch in den Graben, aber dabei kann es passieren, dass sie Wasser in die Stiefel bekommen.

Manchmal versuchen wir, eine größere Strecke auf dem Holzzaun zu gehen. Einmal kam eine Frau vorbei und sah uns zu. Sie glaubte, dass wir auf dem Zaun gingen, um keine nassen Füße zu bekommen. Sie konnte nicht verstehen, dass wir es nur zum Spaß machten.

„Wer hat gesagt, dass man nur auf Wegen gehen soll?", fragte Lasse hinterher.

„Das war bestimmt irgendein Erwachsener", sagte Bosse und lachte.

Und das glaube ich auch.

Wir haben viele Tiere in Bullerbü: Pferde und Kühe und Schweine und Schafe und Hühner und Katzen. Außerdem hat Ole einen Hund, der heißt Swipp. Im Frühling werden viele Kälber und Ferkel und Lämmer und Küken in Bullerbü geboren. Und auch ein oder zwei Fohlen. Jeden Morgen gehen wir in den Stall, um zu sehen, ob in der Nacht ein neues Junges dazugekommen ist.

Eines Morgens geschah etwas Wunderbares. Ich bekam ein Lämmchen von Papa und er sagte, es sollte mein eigenes sein. Das kleine Lamm hatte keine Mama mehr und ich sollte seine Pflegemutter sein.
„Du musst ihm Milch mit der Flasche geben, genau wie einem Wickelkind“, sagte Papa.
Ich taufte mein Lämmchen Pontus.
„Wenn du einmal keine Lust haben solltest Pontus zu füttern, dann kann ich dir helfen“, sagte Inga.
Aber da sagte ich: „Haha, du glaubst doch wohl nicht, dass ich die Lust verliere mein Lämmchen zu füttern?“

Als Papa mir Pontus schenkte, konnte ich noch nicht ahnen, dass Lämmchen immer hungrig sind. Manchmal kommt Pontus sogar in die Küche, wenn ich gerade Milch für ihn wärme, weil es ihm zu lange dauert. Aber das mag unsere Katze nicht, denn sie findet, dass ein Lämmchen nicht in die Küche gehört.

In Bullerbü haben wir einen Widder, der heißt Ulrich und er ist bösartig. Eines Tages hatte Papa die Schafe hinaus auf die Weide gebracht. Wir gingen alle dorthin, um Pontus zu füttern. Aber als ich Ulrich in der Herde entdeckte, erschrak ich und sagte:
„Jetzt wage ich es nicht, auf die Weide zu gehen."
„Aber ich!", sagte Lasse. „Her mit der Babyflasche!"
Ich gab ihm die Flasche und er kletterte über den Zaun. Da kam Ulrich ihm entgegen und er sah sehr angriffslustig aus. „Du glaubst doch nicht etwa, dass ich Angst vor dir habe", rief Lasse.
Doch dann drehte er sich um und lief, so schnell er konnte, davon und Ulrich hinter ihm her. Lasse konnte sich gerade noch rechtzeitig über den Zaun werfen, da fuhr Ulrich mit seinen Hörnern in den Zaun, dass es krachte.
„Du glaubst doch nicht etwa, dass ich Angst vor dir habe", sagte Lasse keuchend noch einmal.
„Nein, nein, auf dieser Seite des Zauns bestimmt nicht", sagte Bosse.

Nachdem Papa Ulrich angebunden hatte, damit Pontus seine Mahlzeit bekommen konnte, sagte Bosse zu Lasse:
„Du bist kein bisschen mutig, Lasse!"
„Das bin ich doch", behauptete Lasse.
Nun wetteiferten die Jungen, wer der Mutigste sei.
„Ich wage es, vom Holzschuppendach zu springen", sagte Lasse.
„Ich auch", anwortete Bosse.
„Und ich auch", sagte Ole.
Und dann sprangen alle drei vom Dach des Holzschuppens.

Später sagte Lasse: „Ich wage es, auf dem Stier zu reiten!“
Unser Stier ist bestimmt der netteste, den es in ganz Schweden gibt. Er stand angebunden vor dem Kuhstall und verzog keine Miene, als Lasse auf seinen Rücken kletterte. Er bewegte sich nicht einmal von der Stelle. Daher wurde nicht viel aus der Reiterei.
„Haha, das wage ich auch“, rief Bosse.
„Und ich auch“, sagte Ole.
Und sie kletterten hinter Lasse auf den Rücken des Stiers.
Aber da sagte Britta: „Ich wage es, auf dem Kuhstalldach entlangzugehen.“

An der Giebelseite vom Kuhstall stand eine Leiter und Britta kletterte tatsächlich auf das Dach hinauf. Aber gerade als sie auf dem Dach stand, öffnete ihre Mutter das Küchenfenster und schrie:
„Bist du verrückt, Britta? Komm sofort herunter!"
Da stieg Britta, so schnell sie konnte, die Leiter wieder herunter.
Auf einmal sahen wir Kerstin. Sie stand hinter uns und zog und zerrte unsere Katze am Schwanz.
„Ich wage es, die Katze festzuhalten", sagte sie.
Aber da sagte ich: „Bist du verrückt! Lass das sofort bleiben!"
„Ist hier noch jemand, der mutig ist?", fragte Britta.
Und Lasse antwortete: „Ich finde uns alle ziemlich mutig!"

Nachher spielten wir Verstecken mit Oles Hund Swipp. Er ist so klug und er bekommt immer heraus, wo wir uns verstecken. Und wenn er jemanden gefunden hat, bellt er so laut, wie er kann.
Kerstin war auch dabei und spielte mit. Sie stellte sich zwei Meter von Swipp entfernt hin und hielt sich die Hände vor die Augen. Sie glaubte, dass Swipp sie so nicht sehen konnte. Aber Swipp verstand nicht, dass Kerstin auch Verstecken spielte, deshalb suchte er nicht ein bisschen nach ihr.

Als es dämmerte, kam Papa und zündete einen Laubhaufen an, den wir zusammengeharkt hatten.
„Wir wollen ein kleines Frühlingsfeuer machen“, sagte er.
„Hurra!“ und „Oh, wie schön!“, riefen wir alle.
Wir tanzten und sprangen um das leuchtende Feuer herum, und wir spielten, wir wären Indianer, und schrien und heulten, dass man es über ganz Bullerbü hören konnte. Nur Kerstin stand stumm dabei.
„Ihr seid ja völlig wild geworden, Kinder“, sagte Papa.
„Ja, danz völlig wild“, sagte Kerstin.
Aber ich glaube, so sind alle Kinder im Frühling.
Jedenfalls wir Kinder aus Bullerbü.

Die schwedische Originalausgabe erschien bei
Rabén & Sjögren Bokförlag, Stockholm, unter dem Titel „Vår i Bullerbyn“
Deutsch von Silke von Hacht
Satz: Lichtsatz Wandsbek, Hamburg
Druck und Bindung: Proost N. V., Turnhout
Printed in Belgium 2001
ISBN 3-7891-6133-0

www.oetinger.de